MÜNCHEN IN BILDERN

München
in Bildern

Aufnahmen von C. L. Schmitt u. a.

Luftbilder von Karl H. Schillinger

Mit einem Vorwort von Dr. Kurt Seeberger

LAMBERT MÜLLER VERLAG · MÜNCHEN

Bildnachweis: S. 3 Landeshauptstadt München; S. 4, 28, 32, 40, 48, 55, 60, 72, 76, 80, 84, 100, 107, 111, 112, 116, 120, 123 Schillinger (Luftbilder freigegeben Reg. von Obb. Nr. GS 300/6459 und GS 300/7375); S. 15, 16, 19, 20, 23, 27, 31, 35, 39, 43, 52, 56, 59, 64, 79, 88, 92, 95, 99, 104, 108, 119, 124, 128 C. L. Schmitt; S. 24, 36, 47, 51, 67, 68, 83, 87, 91, 115 (2), 127 (4) Bavaria-Verlag; S. 44, 103 SV-Archiv; S. 63 Verlag Burckhardt & Keller; S. 71 S. Toepffer; S. 75 Hirmer; S. 96 H. Schubotz; S. 115 (1) Spaten-Bräu.

ISBN 3-87567-280-1

© Copyright bei
LAMBERT MÜLLER VERLAG
München 70
Printed in Germany
1. Auflage 1976

Kurt Seeberger

DIE MÜNCHNERSTADT

DER 14. JUNI 1158

Jetzt weiß man es nicht mehr oder hat es vergessen, aber damals war es allenthalben bekannt: Ohne Salz ist kein Leben. Mensch, Tier, Pflanze brauchen Salz so notwendig wie alles andere, was zum Leben gehört. Es gibt Städte, die nur deshalb entstanden sind, weil sie an Salzquellen oder bei Salzbergwerken gegründet werden konnten.

Und es gibt eine, die nur deshalb ins Leben gerufen wurde, weil ein Herzog — Heinrich der Löwe — beschlossen hatte, an einer bestimmten Stelle der Isar eine Brücke schlagen zu lassen, damit der von Österreich nach dem Westen ziehende Salzhandel von ihm kontrolliert werden konnte. Beträchtliche Einnahmen winkten, die Salzsteuer und der Salzzoll reicherten die Kassen an. Bis zum Herbst 1156 gingen die Salztransporte über die Isarbrücke bei Föhring. Das Gebiet gehörte dem Bischof von Freising. Die Salzgebühren vereinnahmte er. Herzog Heinrich der Löwe unternahm einen Gewaltstreich, ließ die Brücke niederbrennen, errichtete eine Fußstunde davon entfernt isaraufwärts eine neue, und zwar an der Stelle, wo sich ein Weiler mit Namen „bei den munichen" befand. Die paar Hütten hatten Mönche vom Kloster Tegernsee gebaut. Daher „bei den munichen". Und daraus ist MÜNCHEN geworden.

Der Bischof von Freising brachte seinen Streit mit Herzog Heinrich dem Löwen von Bayern vor Kaiser Barbarossa. Barbarossa erledigte den Zwist auf dem Reichstag zu Augsburg. Es war am 14. Juni 1158. Und es erging der Beschluß: Bischof Otto von Freising verzichtet darauf, die Brücke von Föhring wiederherzustellen. Die Brücke „bei den munichen" bleibt bestehen. Aber Heinrich der Löwe wird dem Bischof ein Drittel der Gebühren, die er an der neuen Brücke einnimmt, nach Freising abführen.

München dürfte eine der wenigen Städte sein, die an einem ganz bestimmten Tage ins Leben gerufen worden sind. Ein Herzog schuf vollendete Tatsachen, ein Kaiser des Heiligen Römischen Reiches Deutscher Nation gab seinen Segen dazu — die Münchnerstadt könnte alljährlich ihren Geburtstag feiern: Am 14. Juni 1158 ist sie ins Dasein getreten.

800 JAHRE IN 30 MINUTEN

Da wo jetzt der Alte Peter steht, vermutet man den Platz, den die Mönche vom Kloster Tegernsee zuerst besiedelt hatten. Die Kirche und der Turm „Alter Peter" erheben sich auf einer kleinen Anhöhe, von der herab man auf den Viktualienmarkt blicken kann. Das und die Nachbarschaft, schon früh von einer hohen Mauer umgürtet, ist ältestes München. Später rückte man eine zweite Mauer weiter hinaus, die ebenfalls rings um das Gemeinwesen herumlief. Man kann diese Ringlinie noch gut verfolgen, denn sie war mit den noch vorhandenen Wachttürmen „Karlstor, Sendlingertor, Isartor" bestückt.

8

Um vom Isartor bis zum Karlstor, vom Sendlingertor zum Odeonsplatz zu wandern — der Weg führt durch die sensationelle „Fußgängerzone" — braucht man bei aller Gemütlichkeit höchstens 30 Minuten. In dieser halben Stunde durchschreitet man mehr als 800 Jahre und kommt durch fast sämtliche europäische Stilepochen. Wenig Romanik. Aber: Gotik, Renaissance, Barock — und schließlich: Klassizismus. Dieser ist das Werk eines königlichen Baumeisters: Ludwigs des Ersten von Bayern. Schon seine Vorfahren aus dem nämlichen Hause Wittelsbach hatten Sorge dafür getragen, daß ihre Residenzstadt ein fürstliches Gepräge und Gepränge erhielt. Man muß sich nur wundern, mit welchem Gespür sie es verstanden, in ihre Stadt und in ihr Land Leute zu ziehen, und in Dienst zu nehmen, die großer und überraschender Leistungen fähig waren.

Anno 1783 hält der Herzog Maximilian Joseph von Zweibrücken, Pfalz, in Straßburg in seiner Eigenschaft als französischer Feldmarschall eine Parade seiner Truppen ab. Währenddem beobachtet er einen im Hintergrund reitenden jungen Offizier in scharlachroter Uniform. Diesen läßt er sich vorstellen. Der Herzog (der 1799 Kurfürst von Bayern werden und am 1. Januar 1806 König von Bayern sein wird) erfährt, daß er es mit einem Mister Benjamin Thompson aus den Vereinigten Staaten zu tun hat. Er ist von dem Dreißigjährigen dermaßen entzückt, daß er ihn an den Hof in München empfiehlt, wo Kurfürst Karl Theodor den Fremdling, der bald keiner mehr sein wird, äußerst freundlich empfängt. Ich will es kurz machen: 1784 ernannte ihn der Kurfürst zum Obersten eines Kavallerieregiments, vier Jahre später machte er ihn zum bayerischen Kriegsminister, Polizeiminister, Generalmajor, Kammerherrn und Staatsrat. Der Amerikaner war nicht müßig. Am 1. Januar 1790 ließ er alle Bettler, die an diesem Tage von Tür zu Tür nach alter Gewohnheit mit offener Hand auftreten konnten, festsetzen und in ein leeres Gebäude bringen, wo sie von nun an Tuch herstellen mußten. Bei guter Kost, sagt man. Zu diesem Zweck hatte Sir Benjamin Thompson, Graf zu Rumford, eine Kartoffelsuppe erfunden (die noch vor Jahrzehnten in fast allen Gaststätten zu haben war; sie trägt ihm zu Ehren seinen Namen: Rumford-Suppe).

Nachdem er die Bettelei 1790 abgeschafft hatte, entschloß er sich, München aus seinem Mittelalter heraus in die Neuzeit zu zerren: Er empfahl dem Kurfürsten Karl Theodor um dieselbe Zeit, die Mauern, Wälle und Gräben abtragen zu lassen. Es geschah, und die 34 000 Einwohner der Münchnerstadt sahen über die gestürzten Mauern hinweg auf freies Gelände. Die Neuzeit konnte beginnen.

Und um dieselbe Zeit, 1790, ließ der bayerische Kurfürst nördlich des Hofgartens in einem sumpfigen Gelände, wie ihm Benjamin Thompson geraten hatte, einen großen Volkspark anlegen. Jeder kennt ihn. Es ist der Englische Garten.

Thompson kennt in München kaum noch jemand. In der Nähe vom Haus der Kunst, rechterhand, steht ein Denkmal mit einem für Nichteingeweihte wohl rätselhaften Text:

LUSTWANDLER, STEH!
DANK STAERKET DEN GENUSS.
EIN SCHÖPFERISCHER WINK CARL THEODORS,
VOM MENSCHENFREUNDE RUMFORD
MIT GEIST, GEFÜHL UND LIEB GEFASST,
HAT DIESE EHEMALS OEDE GEGEND
IN DAS, WAS DU NUN UM DICH SIEHEST,
VEREDELT.

DIE KÖNIGLICHE STADT

Nachdem der Amerikaner Benjamin Thompson, späterer Graf Rumford, die Münchnerstadt aus dem Mittelalter in die Neuzeit gelockt hatte, wartete das nun jenseits der verschwundenen Mauern liegende freie Gelände auf einen, der etwas damit beginnen würde. Er kam. Für das zwischen dem Hofgarten und dem Karlstor liegende Gebiet mit dem Charakter eines „regellosen Dorfes" wurde 1808 eine „großzügige Idee" gesucht, wie es heißt: 1812 lag der erste „Generalbebauungsplan" vor. Der 1786 geborene Ludwig von Bayern, seit dem 1. Januar 1806 Kronprinz, dessen Liebe zur klassischen Architektur Griechenlands und Roms schon sprichwörtlich ist, hat die Idee, die Strecke zwischen dem Odeonsplatz und dem Schwabinger Dorf durch eine in gerader Linie verlaufende Prachtstraße zu verbinden, wie die Welt sie selten gesehen hat.

Mit einer Besessenheit sondergleichen verfolgt er mit seinen Architekten diesen Plan; 1822 steckt die Avenue noch in den Anfängen, erhält aber ihm zu Ehren schon den Namen Ludwigstraße. Er baut und baut daran, hat Schwierigkeiten mit dem Stadtrat, der ihm aus bayerisch-bürgerschaftlichem Trotz des öfteren die Zähne zeigt und die Gelder verweigert. Aber Ludwig, seit 1825 König von Bayern, gibt nicht nach. Und manchesmal droht er seinen Münchnern, sich eine andere Residenzstadt zu suchen. Das hilft. Denn wenn sie es auch als typische Münchner nicht sofort eingestehen — dieser König hat ihr Herz. Und diese seine Stadt, dieses neue München, hat ihre Liebe, aber sie werden niemals damit prahlen, denn sie sind scheu, zurückhaltend, vorsichtig, schlau.

König Ludwigs I. Prachtstraße ist 1843 vollendet; 26 Jahre seines Lebens hat der fürstliche Architekt daran gebaut.

LOB DER MÜNCHNERSTADT

Als der Zweite Weltkrieg vorüber war, zählte die Stadt rund 480 000 Einwohner. Als er begann, hatte sie 815 000. Im Mai 1945 lag fast die Hälfte der Münchnerstadt in Schutt und Asche. Jetzt hat sie fast 1,4 Millionen Einwohner. Bayerns Landeshauptstadt hatte dank der Wittelsbacher und deren förderlichen Inspirationen schon lange etwas Weltmännisches. Für mich ist es die schönste Stadt der Welt.

Ein berühmter Amerikaner reiste, als er seinen Ruhm noch vor sich hatte, im Jahre 1923 als Zeitungsreporter von Frankreich über Straßburg nach Deutschland. Es waren kalte und trostlose Zeiten: „Deutschland wirkte nicht sehr vergnügt ... Ein deutscher Soldat saß auf einem leeren Benzinfaß und rauchte eine Zigarette. Eine Frau mit einem enormen schwarzen Federhut und mit einer erstaunlichen Sammlung von Hutschachteln, Paketen und Koffern wartete ... Ich nahm ihr drei Gepäckstücke ab und trug sie zum Bahnsteig: ‚Nach Deutschland‘.
‚Fahren Sie auch nach München?‘ fragte sie und puderte sich die Nase.
‚Nein, nur bis Offenburg.‘
‚Schade. Es geht nichts über München. Sie waren nie dort?‘
‚Nein, noch nicht.‘
‚Fahren Sie gar nicht erst woanders hin, ich sage es Ihnen. Es geht nichts über München. Alles andere in Deutschland ist Zeitverschwendung.‘“

Der es wert fand, dieses Lob der Münchnerstadt festzuhalten, war Ernest Hemingway. 1954 bekam er den Nobelpreis für Literatur.

BILDER IN DIESEM BUCH:

Der *Marienplatz* vor dem *Rathaus*, die „gute Stube" der Stadt. 1638 ließ Kurfürst Maximilian zum Dank für Errettung aus Kriegsnot die *Mariensäule* errichten: zu Füßen einer *Patrona Bavariae* des Niederländers Hubert Gerhard kämpfen Putten in Helm und Waffen gegen Pest, Hunger, Krieg und Gottlosigkeit. Den letzten Akzent setzen die „welschen Hauben" der Domtürme, Jörg Ganghofers gewaltige Backsteingotik (1468—1488), Münchens unverwechselbares Wahrzeichen.

The *"Marienplatz"* in front of the *town hall*, the "parlour" of the town. 1638 Kurfuerst Maximilian had erected the *"Mariensäule"* in order to thank for rescuing the town from the danger of war: beneath a *Patrona Bavariae* built by the Dutchman Hubert Gerhard little angels wearing helmet and weapons fight against pestilence, hunger, war and irreligion. The last accent is given by the "welschen Hauben" of the Cathedral's towers, the gigantic brick gothic of Jörg Ganghofer (1468—1488), Munich's unique characteristique.

La «*Marienplatz*» devant *l'hôtel de ville*, la «bonne chambre» de la ville. 1638 l'Electeur Maximilian en remerciement pour le sauvetage du danger de guerre fît ériger la «*Mariensäule*»: aux pieds d'une *Patrona Bavariae* de Hollandais Hubert Gerhard de petits anges en casque et armes luttent contre peste, faim, guerre et athéisme. Le premier accent est fait par les «welschen Hauben» des tours de la cathédrale, le gothique prodigieux en brique (1468—1488) de Jörg Ganghofer, la caractéristique évidente de Munich.

Neben dem Titel / Befor the titel / Avant le titre:

Von drei Türmen kann man in das Straßengewinkel der Altstadt schauen: vom *Alten Peter* (303 Stufen bis zur Turmgalerie), vom *Rathausturm* (Lift bis über das Glockenspiel), und vom *Dom* (superschneller Lift in die Turmstube unter der Südkuppel). Im Luftbild: die *Stadtmitte* auf einen Blick, vom bunten Viktualienmarkt und der Rekonstruktion des einstigen Ratsturms von 1315 (im Bild im Bau) bis zum Karlstor beim Stachus.

From three towers one can look onto the street network of the ancient town: from *"Alter Peter"* (303 stairs up to the gallery), from the *town hall's tower* (lift up to the "Glockenspiel") and from the *Cathedral* (superquick lift up to the towerroom under the southern cuppola). In aerial view: the centre in one view from the coloured "Viktualienmarkt" and the reconstruction of the ancient tower of the town hall of 1315 (in the photo: in construction) up to the Karlstor near "Stachus".

De trois tours on peut regarder sur les ruelles de la ville ancienne: «Alter Peter» (303 marches jusqu'à la galérie) la tour de l'hôtel de ville (ascenseur jusqu'au carillon) et la Cathédrale (ascenseur très vite jusqu'à la chambre de tour). Vue en bas: le centre de «Viktualienmarkt» et de la reconstruction de l'ancienne tour de l'hôtel de ville de 1315 (dans la photo en train de construction) jusqu'au Karlstor à côté de «Stachus».

Treffpunkt aller München-Besucher ist um die Mittagszeit unter dem *Glockenspiel im Rathausturm*. Der Auftritt der *Turnier-Ritter* steht in historischer Beziehung zur Hochzeit des Bayernherzogs Wilhelm V. mit der Herzogin Renata von Lothringen (1568). Der *Tanz der Schäffler* erinnert an das Ende der Pestjahre (1517), als die Männer dieser Zunft mit ihrem Tanz auf der Straße als erste den Bann der Angst brachen.

Meeting-place of all Munich visitors at miday that's the *"Glockenspiel" in the tower of the town hall*. The *performance of the knights* has a historical connection to the wedding of the Bavarian Count Wilhelm V. with the Countess Renata of Lothringen (1568). The *dance of the "Schäffler"* reminds on the end of the years of epidemy (1517), when the men of this guild broke with their dance in the streets the ban of fear as the first ones.

Le rendez-vous de tous les visiteurs de Munich c'est à midi *la tour de l'hôtel de ville* pour écouter *le carillon*. L'entrée en scène des *chevaliers* a une connection historique au mariage de Comte Wilhelm V. et la Comtess Renata de Lothringe (1568). *La danse des «Schäffler»* rappelle la fin des années de poste (1517) quand les hommes de cette guilde ont été les premiers à casser le ban de peur avec leur dans dans les rues.

Blick über den *Rindermarkt* zum „*Alten Peter*". Der markante Turm ist ein vielbesungenes Wahrzeichen der Stadt. Am Petersbergl, das der Städtebau heute fast eingeebnet hat, stand vor 1000 Jahren das erste hölzerne Kirchlein der Mönche, von denen München den Namen und das Wappenbild hat. Rechts: der *Löwenturm*. Er stand vor dem ältesten, innersten Mauerring, den man in 20 Minuten umwandern konnte.

View across the "*Rindermarkt*" to the "*Alter Peter*". A lot of songs have been written on this prominent tower, one of the town's landmarks. The "Petersbergl" today due to the house building is no longer the hill that it used to be 1.000 years ago when the first wooden chaple was built by monks who gave Munich its name and its heraldic figure. On the righthand side: the "*Löwenturm*". This tower belonged to the earliest inner wall when you could wander round the town in 20 minutes.

Vue sur «*Rindermarkt*» vers «*Alter Peter*». La tour remarquable est une charactéristique dont on chante beaucoup de chansons. Sur «Petersberg» qui aujourd'hui n'est plus une colline en conséquence de l'urbanisme, il y a 1.000 ans la première église en bois des moines s'élevait dont Munich a son nom et son symbole. A droite: «*Löwenturm*». Elle s'élevait devant la muraille la plus ancienne qu'on pouvait tourner en 20 minutes.

Für die Münchner schlägt das Herz der Stadt am *Viktualienmarkt*, zu Füßen des *Alten Peter*. Hier hat in einer Symphonie von Farben und Düften Münchener Lebensart und Volksmund von jeher die üppigsten Blüten getrieben. Hier bekamen die beliebten Volksschauspieler (im Bild: Liesl Karlstadt) ihre kleinen Gedenkbrunnen, und hier ist auch der Maibaum — sonst ein ländliches Symbol fröhlichen Feierns — am rechten Fleck.

For the Munich people the heart of the town is the *"Viktualienmarkt"* near the *"Alter Peter"*. Here within a symphony of colours and odours Munich's way of life and vernacular created at all times the most exuberant flowers. Here the loved popular acters (photo: Liesl Karlstadt) have their little memorial fountains and here, too, there is just the right place for the mai-tree — otherwise a symbol of joyful country life.

Pour les gens de Munich la cœur de la ville c'est le «*Viktualienmarkt*» au pied de «*Alter Peter*». Ici dans un symphonie des couleurs et des odeurs la vie de Munich et le langage populaire ont toujours été en floraison. Ici les actuers populaires (photo: Liesl Karlstadt) ont leurs petits jets d'eau commemoratifs et ici on trouve aussi l'arbre de mai — à l'ordinaire un symbole rural des fêtes joyeuses.

In der *Neuhauser Straße* (Fußgängerzone) ragt die Prunkfassade der *St. Michaelskirche* empor. Gestiftet von Herzog Wilhelm V., erbaut 1583—1597 von dem Niederländer Friedrich Sustris, war sie ein erstes stilweisendes Meisterwerk der Renaissance nördlich der Alpen. Links schließt sich die klassische Front des ehemaligen Jesuitenkollegs an. Rechts: die profanierte *Augustinerkirche*, heute das *Deutsche Jagdmuseum*.

In *Neuhauserstrasse* (a street reserved only for pedestrians) the splendoured front of the *St. Michael's Church* rises. Endowed by Herzog Wilhelm V., built 1583—1597 by the Dutchman Friedrich Sustris the church was one of the first masterpieces of a new style Renaissance north of the Alps. On the lefthand side it is joined by the classic front of the former Jesuit college. On the righthand side: the profaned *"Augustinerkirche"*, today the *"German Jagdmuseum"*.

Sur «*Neuhauserstrasse*» (la zone réservée pour les piétons) le façade splendid de l'église *St. Michel* se dresse. Fondée par Comte Wilhelm V., batie 1583 à 1597 par le Hollandais Friedrich Sustris, elle fût un premier chef-d'œuvre directeur de Renaissance au nord des Alpes. A gauche le façade classique de l'ancienne école des jésuites s'attache. A droite: «*Augustinerkirche*», l'église profanée, aujourd-hui «*Deutsches Jagdmuseum*».

Der Innenraum der *St. Michaelskirche* gehört zu den mächtigsten Zeugnissen deutscher Baukunst. Das riesige Tonnengewölbe von 20 Metern Spannweite kommt den Maßen des Petersdoms in Rom nahe. Beim Wiederaufbau wurde nicht der einstmals reiche Stuck in Weiß und Gold nachgeahmt. Erhalten blieben die Prunkaltäre, Meister Wendel Dietrichs Hochaltar und Chorgestühl, und Thorwaldsens Grabmal für den Herzog von Leuchtenberg, einen Stiefsohn Napoleons.

The inner room of *St. Michael's Church* belongs among the most impressing examples of German architecture. The mighty arch of 20 meters spanning is equivalent to the dimensions of St. Peter in Rome. The re-construction did not imitate the formerly rich stucco in white and gold. The splendid altars, Wendel Dietrich's high altar and choir-stalls remained, Thorwaldsen's tomb for the Count of Leuchtenberg, a step-son of Napoleon.

L'intérieur de *St. Michaelskirche* appartient aux exemples les plus puissants de l'architecture allemande. La voûte gigantesque de 20 m d'envergure approche des dimensions de la Cathédrale St. Peter à Rome. En reconstruisant on n'a pas imité le stuc on blanc et en or. Ce qui reste ce sont les autels, le maître-autel de Wendel Dietrich et les stalles et le tombeau de Thorwaldsen pour le Compte du Leuchtenberg, beau-fils de Napoléon.

In der neuklassizistischen Epoche, von der Wilhelm Hausenstein schrieb: „München leuchtete", schuf Adolf von Hildebrandt 1891—1895 den *Wittelsbacher Brunnen* am *Lenbachplatz*: Wasserstier und Wasserroß, gezähmt von Jüngling und Nymphe, versinnbildlichen die gebannte Urkraft des Elements. Links: die *Maxburg* (Amtsgericht), der Turm ist historisch.

During the new classic period (Wilhelm Hausenstein wrote of this period: "Munich sparkled") Adolf von Hildebrandt created 1891—1895 the *Wittelsbacher fountain* on the *"Lenbachplatz"*: water bull and water horse tamed by the young man and the nymphe represent the banned original force of the element. Lefthand side: *"Maxburg"* (court), the tower is historical.

A l'époque nouvelle classique dont Wilhelm Hausenstein a ecrit: «Munich a brillée», Adolf von Hildebrandt 1891—1895 a créé le *Wittelsbacher Brunnen* à la *Place Lenbach*: taureau d'eau et cheval d'eau domptés par le jeune homme et la nymphe, symbolisent la puissance apprivoisée de l'élément. A gauche: *«Maxburg»*, la tour est historique.

Blick vom *Stachus* her auf den *Lenbachplatz* mit dem *Wittelsbacher Brunnen*. Dahinter die Grünanlagen des *Maximiliansplatzes*. Zu beiden Seiten Banken, Hotels, Nobelgaststätten, exklusive Geschäfte für Moden, Antiquitäten, Möbel ... Vorn: die auf dem Terrain der historischen *Maxburg* errichteten „*Justizgebäude am Lenbachplatz*" (Amtsgericht).

View from *Stachus* to *Lenbach Place* with the *Wittelsbach Fountain*. Behind it the green plots of *Maximilian Place*. On both sides banks, hotels, nobel restaurants, luxurious shops for clothes, antiques, furniture ... In front: *lawcourts on Lenbach Place* built on the place of the historial *"Maxburg"*.

Vue à partir du «*Stachus*» sur la *Place Lenbach* avec le *Wittelsbacher Brunnen*. Derrière les pélouses de la *Place Maximilian*. A tous les côtés: banques, hotels, restaurants exquisits, boutiques, antiquites, meuble ... avant: les *palais des justice à la Place Lenbach* se trouvant sur le terrain du château historique du *Maxburg*.

Nur wenige Meter abseits von innerstädtischen Verkehrsströmen rauscht im sogenannten *Alten Botanischen Garten* der *Herkulesbrunnen*. Dort ist inmitten des jahreszeitlich wechselnden Blumenschmucks ein idealer Rastort. Als ein Orientierungszeichen für den weiteren Stadtbummel schauen die *Frauentürme* herein.

Only a few meters aside of the inner town traffic in the so-called "*Old Botanic Garden*" there rushes the *Herkules Fountain*. There amidst the splendour of the flowers changing according to the time of the year you find an ideal place for rest. As a sign for orientation for further stroll through the town the *towers of the Cathedral* look into the garden.

Ce ne sont que quelques mètres du trafic urbain où le *Herkulesbrunnen* murmure dans le «*Alten Botanischen Garten*». Là on trouve une place idéale pour repos au milieu des fleurs changeant d'après la saison, comme une autre signe d'orientation pour une flânérie *les tours de la Cathédrale* se font jour.

Münchens bekanntester Verkehrsknotenpunkt, der *Karlsplatz*, allgemein „Stachus" genannt. Der Name stammt von dem Wirt Eustachius Föderl, der einstmals vor dem Neuhauser Tor, seit 1791 *Karlstor*, eine stadtbekannte Gaststätte betrieb. Die „wildeste Kreuzung" der Bundesrepublik ist jetzt durch ein unterirdisches Einkaufszentrum, durch S-Bahn und Fußgängerzone entschärft worden. Rechts: der *Justizpalast*.

Munich's most famous junction, the *"Karlsplatz"*, generally known as *"Stachus"*. The name originated from the innkeeper Eustachius Föderl who once had a frequented inn in front of the "Neuhauser Tor", since 1791 "Karlstor". The "most horrible crossing" of the Federal Republic has now been deactivated by a subterranean shopping centre, by S-Bahn and a pedestrians' zone. Righthand side: *Justizpalast*.

Le noeud de communication le plus fameux de Munich, la «*Karlsplatz*» connue comme «*Stachus*». Ce nom prend son origine au patron Eustachius Föderl qui autrefois a eu devant le Neuhauser Tor, depuis 1791 «*Karlstor*», un restaurant très rénommé. Le carrefour le plus sauvage de la République Fédérale a été désarmocé par un shopping-centre souterrain, par le métro et la zone pour les piétons. A droite: le «*Justizpalast*».

Die *Fußgängerzone* in der *Neuhauser Straße*, beim *Karlstor*. Im Durchblick: die große Brunnenanlage am Stachus. Ein Sonntagsbild — denn zur Geschäftszeit kann sich hier der Publikumsverkehr bis zum Gedränge steigern. Und zu besonderen Gelegenheiten, Christkindlmarkt oder Fasching (wenn sogar die Laternen maskiert sind), wird die Szene zum musikübertönten Festplatz.

The *pedestrians' zone* in *Neuhauserstrasse* near *Karlstor*. In view: the great fountain arrangement on the "Stachus". A sunday picture — for during the office hours the crowd can work up to real rush. And on special occasions, Christkindlmarkt or Carneval (when even the lanterns are decorated) the scene changes to a music-filled festival ground.

La zone pour les piétons dans la *Neuhauserstrasse*, à côté de *Karlstor*. En vue: le grand jet d'eau au Stachus. Une photo du dimanche — car pendant les heures de bureau le trafic peut s'agrandir jusqu'à la foule. Aux occasions spéciales, Christkindlmarkt ou Carneval (quand même les lanternes sont masquées), le scène se change à une place de fête avec beaucoup de musique.

Nun ist vor dem *Karlstor* Platz für eine großzügige Brunnenanlage, und die Sitzsteine darum laden ein zur Rast, sind ein beliebter Treffpunkt. Der Blick von oben in die Fußgängerzone der Neuhauser- und Kaufingerstraße durchmißt die ganze Altstadt, umfaßt die Türme der Frauenkirche, des alten und neuen Rathauses, der Peterskirche und der Heiliggeistkirche.

Now the place in front of the *Karlstor* allows for a generously designed fountain arrangement and the sitting stones around it invite to have a rest and are a well known meeting-place. The view to the pedestrians' zone in Neuhauser- and Kaufingerstrasse passes over the whole "Altstadt", covers the towers of the "Frauenkirche", the ancient and the new town hall, St. Peter's Church and the Holy Ghost Church.

Aujourd'hui devant le *Karlstor* il y a espace pour une installation de jet d'eu à large vue, les pierres autour invitent à prendre un repos et sont un rendez-vous très connu. D'ici on peut voir la Neuhauser- et la Kaufingerstrasse, toute la ville ancienne, les tours de la Cathédrale, de l'hôtel de ville ancien et nouveau, la «Peterskirche» et la «Heiliggeistkirche».

In der *Feldherrnhalle*, die der Loggia dei Lanzi in Florenz nachempfunden ist, sind die Statuen zweier Heerführer aufgestellt: Tilly, der Verteidiger des katholischen Herrscherhauses gegen die Schweden, und Wrede, Feldmarschall der Napoleonzeit. Die Gruppe im Hintergrund: ein Krieger schützt den Frieden.

In the *Feldherrnhalle*, an interpretation of the Loggia dei Lanzi in Florence, the statues of two generals are there: Tilly, the defender of the catholic monarchy against Sweden, and Wrede, general under the time of Napoleon. The group behind: a warman protects peace.

Dans la *Feldherrnhalle*, inspirée par la Loggia dei Lanzi à Florence, il y a les statues de deux généraux: Tilly, le défendeur de la cour catholique contre les Suédois, et Wrede, général sous le régime de Napoléon. Le groupe au fond: un homme de guerre protège la paix.

Die *Ludwigstraße* zählt wegen ihrer einheitlichen Architektur zu den historischen Prachtstraßen Europas. In ihrem nördlichen Teil war Friedrich von Gärtner (1792–1847) der Baumeister. Nach seinen Plänen entstanden die ersten Bauten der *Ludwig-Maximilian-Universität* mit den „Römischen Brunnen", die doppeltürmige *Ludwigskirche* und das *Siegestor*. Rechts oben: Neureuthers um 1880 im Stil der Hochrenaissance erbaute *Akademie* der Bildenden Künste.

Grace to its homogeneous architecture the *Ludwigstrasse* belongs to Europe's historical boulevards. The northern part was built by Friedrich von Gärtner (1792–1847). According to his plans the first buildings of the *Ludwig-Maximilian-University* with the "Roman Fountain", *Ludwig's Cathedral* with its two towers and the "*Siegestor*" came into being. Righthand side above: the Academy for the plastic and graphic arts built 1880 by Neureuther in the Renaissance style.

La «*Ludwigstrasse*» compte eu égard à son architecture uniforme parmi les boulevards historiques de l'Europe. La partie au nord fît construite par Friedrich von Gärtner (1792–1897). De ses plans les premiers édifices de *l'Université Ludwig-Maximilian* prirent leur origine, avec le «Römischen Brunnen», *l'Eglise Ludwig* avec deux tours et la «*Siegestor*». A droite au-dessus: *l'Académie* des arts plastiques construite 1880 au style de la Haute Renaissance par Neureuther.

Einer der *Römischen Brunnen* vor der *Ludwig-Maximilian-Universität*, auf dem Geschwister-Scholl-Platz, der an die studentische Widerstandsgruppe der „Weißen Rose" erinnert. Im Blick in die *Ludwigstraße:* die mit romanischen Stilelementen gestaltete *Ludwigskirche*, darin Deutschlands größtes Altarbild, „Das jüngste Gericht" von Peter Cornelius.

One of the *Roman fountains* in front of the *Ludwig-Maximilian-University* on the Geschwister-Scholl-Platz which reminds on the students' resistance group of the "White Rose". In view into the *Ludwigstrasse: Ludwig's Church* with roman ic style-elements, in the interior Germany's greatest altar painting "Doomsday" by Peter Cornelius.

Un des *jets d'eau romains* devant *l'Université Ludwig-Maximilian* sur la Geschwister-Scholl-Platz, qui rappelle le groupe de résistance des étudiants de la «Rose Blanche». Vue sur la *Ludwigstrasse: l'Eglise Ludwig* avec des éléments stylistiques romans avec le plus grand tableau d'autel. «Le Jugement dernier» de Peter Cornelius.

Zum festlichen Jahr der Stadt gehört auch die *Fronleichnamsprozession*. Im Bild: Kardinal Julius Döpfner trägt, gefolgt von den Spitzen der Stadt und des Freistaats, das Allerheiligste durch die Ludwigstraße, deren Bestimmung als königliche Prachtstraße bei solchem Anlaß wieder zutage tritt. Im Hintergrund: die Theatinerkirche.

The *"Fronleichnamsprozession"* belongs as well to the town's festive year. Photo: Cardinal Julius Döpfner follwed by the first men of the town and of the country carries the Holy of Holies along the Ludwigstrasse whose designation as royal boulevard becomes evident on such occasion. Behind: Theatiner Cathedral.

La procession de «Fronleichnam» fait aussi partie de l'année solemnelle de la ville. Photo: Cardinal Julius Döpfner, suivi des hommes importants de la ville et du pays, porte le Sanctuaire au travers de la «Ludwigstrasse» dont sa détermination comme boulevard royal se fait jour à cet occasion. Au derrière: «Theatinerkirche».

45

Umbrandet vom Großstadtverkehr ist heute das *Isartor* — die Türme erbaut 1314 unter Kaiser Ludwig dem Bayern. Das 20 Meter lange Fresko über den neugotischen Torbogen schildert seine siegreiche Heimkehr aus der Schlacht bei Ampfing 1322. Im linken Turm bewahrt das *Karl-Valentin-„Musäum"* Erinnerung an die skurrile Gedankenwelt des unvergessenen Volksschauspielers (1882—1948). In der Westenrieder Straße (links) reihen sich die Läden der Antiquitätenhändler.

Today the traffic of the great city surges round the *"Isartor"* — the towers built 1314 under the reign of Emperor Ludwig the Bavarian. The fresco-painting with a length of 20 meters above the new gothic archway shows his victorious return from the battle of Ampfing 1322. In the left tower the *Karl-Valentin-"Musäum"* preserves the memories of the ludicrous world of ideas of the unforgotten popular actor (1882—1948). In Westenriederstrasse (lefthand side) one antique shop joins the other.

Aujourd'hui la «*Isartor*» est baignée de tous côtés du trafic — les tours construites 1314 sous l'Empéreur Ludwig. La fresque d'une longueur de 20 mètres au-dessus de l'arceau gothique décrit son retour victorieux de la bataille d'Ampfing 1322. Dans la tour à gauche le *Karl-Valentin-«Musäum»* conserve le memoire du monde des idées grotesques de cet acteur populaire (1882 à 1948). Sur «Westenriederstrasse» (à gauche) il y a les boutiques des antiquaires.

Blick auf den *Sendlinger-Tor-Platz*. Die alten Tortürme, 1318 erstmals erwähnt, sind vom neuen Stadtbild fast überwuchert. Dominierendes Bauwerk ist nun die evangelische *Matthäuskirche* (1953–55) mit ihrer kurvigen Stahlbeton-Schalendecke. Links: das Klinikviertel. Hinter den Geschäftshäusern in der Sonnenstraße die gotische *Allerheiligenkirche am Kreuz*, ein Werk des Dombaumeisters Jörg Ganghofer.

View to the *Sendlinger-Tor-Platz*. The old towers, 1318 mentionned for the first time, have almost been overrun by the new shape of the town. The dominating building is now the Protestant *Matthäus Church* (1953–55) with is curved reinforced-steel ceiling. Lefthand side: the hospital quarter. Behind the office buildings in the Sonnenstrasse the gothic *Allerheiligenkirche am Kreuz*, a work of the Cathedral's builder Jörg Ganghofer.

Vue sur la *Sendlingertorplatz*. Les vieilles tours, 1818 mentionnées pour la premiere fois, sont presque étouffées par la grande ville. L'édifice dominant c'est *l'église protestante de Matthäus* (1953–55) avec son plafond d'apparence sinueuse en béton armé. A gauche: le quartier d'hôpitaux. Derrière les maisons de bureaux dans la Sonnenstrasse il y a la «*Allerheiligenkirche*» gothique, un œuvre de l'architecte de la Cathédrale Jörg Ganghofer.

Der *Richard-Strauss-Brunnen* in der Fußgängerzone. Auf dem Säulenschaft Szenen aus den Werken des Komponisten (1864—1949). Merkwürdigerweise wurde Dresden die Uraufführungsstadt des geborenen Münchners; erst für seine letzte Bühnenschöpfung, „Capriccio", öffnete sich der Vorhang zum ersten Mal im Münchener Nationaltheater (1942).

The *Richard-Strauss-Fountain* in the pedestrians' zone. On the pillar scenes out of the works of the composer (1864—1949). Strange to say Dresden became premiere town for the born Municher, it was not untill his last creation "Capriccio" when the curtain opened for the first time in Munich's National Theatre (1942).

Le *Richard-Strauss-Brunnen* dans le zone des piétons. Sur la colonne des scènes des œuvres du compositeur (1864—1949). C'est étrange que Dresden fît la ville des premières de ce Munichois, ce n'est que pour son dernier œuvre «Capriccio» que le théâtre national de Munich s'est ouvert pour la première fois (1942).

50

Der *Augustinerkeller* an der Arnulfstraße ist einer der letzten großen Biergärten der Stadt, in denen noch unter dem Blätterdach alten Baumbestands ausgeschenkt wird. Im heißen Sommer, und besonders zu den traditionellen Starkbierzeiten des Jahres, finden an die 4000 Gäste einen Platz hinter der „Maß" und einer zünftigen Brotzeit.

The *Augustinerkeller* on Arnulfstrasse is one of the town's last great beer gardens where you drink your beer still under the foliage of old trees. In the hot summer and especially on occasion of the traditional "Starkbier" times of the year, approximately 4,000 guests find their place behind a "Mass" and a rich meal.

L'Augustinerkeller dans Arnulfstrasse est un des derniers jardins de bière de la ville où on peut boire sa biere au-dessous de vieux arbres. Dans l'été chaud et spécialement aux saisons traditionelles de bière on y trouve 4.000 visiteurs derrière une «Mass» et un casse-croûte.

Das *Residenzviertel*. Links unten nebeneinander: *Nationaltheater* und *Residenztheater*. Am kreisrunden *Max-Joseph-Platz* Eingang zu *Residenzmuseum* und *Schatzkammer*. Unter dem Türmchen: der *Brunnenhof*, darüber: der Kaiserhof; links davon: Grottenhof, rechts: Apothekenhof. Hofgarten mit Brunnentempel und Arkaden. Darüber: *Odeonsplatz* mit *Odeon* (Innenministerium), *Finanzministerium, Leuchtenbergpalais*. Weiter oben: Markuskirche, Alte Pinakothek ...

The quarter of the *Residence*. Lefthand side below: *National Theatre* and *Residence Theatre*. On the circular *Max-Joseph-Place* entrance to the *residencial museum* and the *treasure-vault*. Beneath the little tower: the "*Brunnenhof*", above: the "Kaiserhof", on the lefthand side: "Apothekerhof". "Hofgarten" with "Brunnentempel" and arcades. Above: *Odeonsplace* with *Odeon* (Ministry of the Interior), *Ministry of Finances, Leuchtenbergpalais*. A little more above: Markus Church, Old Pinakothek ...

Le quartier de la *Résidence*. A gauche en bas: *Théâtre National* et *Théâtre de Résidence*. A *la place circulaire de Max-Joseph* l'entrance à la *Residenzmuseum* et la *chambre des trésors*. Au-dessous de la petite tour: le *Brunnenhof*, au-dessus le «Kaiserhof», à gauche: «Grottenhof», à droite: «Apothekenhof». Hofgarten avec Brunnentempel et les arcades. Au-dessus: *Odeonsplatz* avec l'*Odeon* (ministère de l'intérieur), *ministère des finances, Leuchtenbergpalais*. Plus au-dessus: Markuskirche, Alte Pinakothek.

Der *Brunnenhof der Residenz*, im Sommer Schauplatz nächtlicher Konzerte. Im Bau links das *Antiquarium*, in den Obergeschossen Räume des *Residenzmuseums*. Den *Wittelsbacherbrunnen* krönt die Statue des Pfalzgrafen Otto, Bayerns erstem Herrscher aus diesem Geschlecht. Am Brunnenrand antike Gottheiten und Allegorien bayerischer Flüsse.

The *Brunnenhof of the Residence*, in summer scene of night concerts. In the building on the lefthand side the *Antiquarium*, on the upper floors the rooms of the *Residence-Museum*. The *Wittelsbach Fountain* is crowned by the statue of Count Palatine Otto, Bavaria's first monarch of this house. On the edge of the fountain antique gods and allegories of Bavarian rivers.

Le «*Brunnenhof*» de la Residence, en été la scène des concerts de nuit. Dans le bâtiment à gauche *l'antiquarium*, au-dessus les chambres de la «*Residenzmuseum*». La statue de Comte Otto le premier roi de cette dynastie couronne le *Wittelsbacherbrunnen*. Au bord du jet d'eau des dieus antiques et des allégories des rivières bavaroises.

Eine Insel der Stille am Rande des Zentrums ist der *Hofgarten*. Auf der Kuppel des *Brunnentempels* im Muschelgrottenstil die Statue „Tellus Bavarica", eine römische Erdgöttin. Im Residenztrakt links der nach berühmten Bildteppichen benannte *Herkulessaal*, Mittelpunkt des Münchener Musiklebens. In den Hofgarten-Arkaden das *Theatermuseum* und Galerien — Modernitäten und Antiquitäten. Im Hintergrund: *Dom* und *Theatinerkirche*.

The *"Hofgarten"* joining the centre is an isle of peace and tranquillity. On the cupola of the *"Brunnentempel"* in grotto-style there stands the statue "Tellus Bavarica", a Roman earth goddess. In the residence part on the lefthand side the *"Herkulessaal"* which has its name from the famous picture-carpets and which is the centre of Munich's music-life. In the arcades of the "Hofgarten" there are the *theatre-museum* and galleries — modern and antique. Behind: *Cathedral* and *Theatiner-Church*.

Une île de tranquillité au bord du centre c'est l' «Hofgarten». Sur la coupole de «Brunnentempel» au style de grotte la statue «Tellus Bavarica» une déesse de terre de Rome. Dans la Résidence à gauche l' «Herkulessaal» rénommée pour sa tapisserie, centre de la vie de musique à Munich. Dans les arcades d' «Hofgarten» la musée de théâtre et des galéries — choses modernes et antiques. Au fond: La *Cathédrale* et *Theatinerkirche*.

Die Silhouette der Stadt wird mitgeprägt von einem Baudenkmal des italienischen Barock: *St. Kajetan*. Schiff und Kuppel baute 1663—1675 der Bologneser Agostino Barelli. Die volutenreichen Türme fügte später Enrico Zuccali an, und Cuvilliés vollendete 1756 die Fassade. Die Seelsorge wurde dem *Theatinerorden* übertragen. Sein Kloster war das heutige Kultusministerium. Bildmitte: die gotische, jetzt griechisch-orthodoxe *Salvatorkirche*.

The silhouette of the town is formed, too, by a monument of the Italien Barock: *St. Kajetan*. Nave and cuppola were built 1663—1675 by Agostino Barelli from Bologna. The towers were added some times later by Enrico Zuccali, and 1756 Cuvilliés accomplished the front. For the religious welfare the *Theatiner order* was responsible. Today you find in the former monastery the Ministry of Education. In the centre: the gothic *Salvator Church* today Greek orthodox.

La silhouette de la ville est aussi empreinte par un monument du Barock italien: *St. Kajetan*. Le nef et la coupole ont été construits 1663—1675 par Agostino Barelli de Bologna. Les tours riches ont y été ajoutées plus tard par Enrico Zuccali, et Cuvilliés a fini le façade 1756. On a transféré la charge d'ames à *l'ordre de Theatiner*. Son monastère est aujourd'hui le ministère de l'instruction publique. Au centre: *l'église gothique Salvator*, aujourd'hui grecque orthodoxe.

Das Innere der *Theatinerkirche*. Die Kanzel mit dem mächtigen, überreich profilierten Schalldeckel ist ein Meisterwerk des Andreas Faistenberger. Als Hochaltarbild wurde nach den Zerstörungen des Krieges das Werk eines Rubens-Schülers aus der Staatsgemäldesammlung eingesetzt. In der *Fürstengruft der Wittelsbacher* ruhen auch die Stifter des Gotteshauses, Kurfürst Ferdinand Maria und seine Gemahlin Henriette Adelheid.

The inner part of *Theatiner Church*. The pulpit with the mighty, extremely rich profiled sounding-top is a masterpiece of Andreas Faistenberger. After the destructions of the war the high altar painting was replaced by a work of one of Rubens' disciples taken from the public collection of paintings. In the *prince tomb of the Wittelsbacher* there rest as well the founders of this God's house, Kurfürst Ferdinand Maria and his wife Henriette Adelheid.

L'intérieur de «*Theatinerkirche*». La chaire avec le puissant abat-son est un chef-d'œuvre d'Andreas Faistenberger. Comme tableau du maître-autel on a pris après les destructions de la guerre l'œuvre d'un disciple de Rubens de la collection publique de tableaux. Dans *la crypte des Wittelsbacher* il y a aussi les fondateurs de cette église, l'Elécteur Ferdinand Maria et son épouse Henriette Adelheid.

Ein Juwel der Rokokokunst ist das *Cuvilliés-Theater*, das in diesem Namen seinen Erbauer ehrt, den zwergenhaften, vom Pagen zum genialen Baumeister arrivierten Günstling des Münchner Hofes (1695—1768). Mozart schrieb für diese Bühne seine Oper „Idomeneo". Und als das Theater, zerlegt und verpackt, den Krieg überstanden hatte, wurde es mit Mozarts „Hochzeit des Figaro" wieder eröffnet.

The *Cuvilliés-Theatre*, a jewel of the Rokoko art, which with this name pays honour to its founder, the dwarfish, beginning as page-boy ending as genious archtitect the favorite of Munich's court (1695—1768). For this stage Mozart wrote his opera "Idomeneo". And when the Theatre, taken apart and packed up, had survived the war, it was re-opened with Mozart's "Wedding of the Figaro".

Un bijou du Rokoko c'est le *Théâtre Cuvilliés* qui avec ce nom fait ses hommages à son fondateur le favorite pygméen devenant du page à l'architecte de la cour de Munich (1695—1768). Mozart a écrit pour ce stage son opéra «Idomeneo». Et quand le théâtre a fait saillie la guerre on l'a ouvert avec «Le Mariage du Figaro» de Mozart.

Das *Nationaltheater*, ein Haus mit bewegter Vergangenheit. Ludwig I. legte 1811 als Kronprinz den Grundstein. Nach dem historischen Theaterbrand von 1823 wieder aufgebaut, begann 1855 mit dem „Tannhäuser" die *Ära Wagner*. 1972 wurde die erste Separatvorstellung für den schwermütigen *König Ludwig II.* angesetzt. 1886—89 war *Richard Strauss* Kapellmeister . . . 1943 lag alles in Asche, aus der das Haus strahlender denn je wieder erstand.

The *National Theatre*, a house with a turbulent past. Ludwig I. as crownprince laid 1811 the foundation-stone. After the historical fire of the theatre of 1823 re-built, 1855 with "Tannhäuser" the *era Wagner* began. 1872 the first separate performance for the melancholic *King Ludwig II.* took place. 1886 till 1889 *Richard Strauss* has been bandmaster . . . 1943 everything was laid in ashes from which the house came again into being more shining than ever before.

Le *Théâtre National* une maison avec une histoire troublée. Son fondateur c'était 1811 Ludwig I. Apres l'incendie de 1823 rebâti, 1855 *l'éra de Wagner* commençait avec «Thannhäuser». 1872 la première représentation séparée pour le roi mélancolique *Ludwig II.* a eu lieu. 1886—89 *Richard Strauss* était le chef d'orchestre . . . 1943 tout était en cendres dont la maison renaquit plus rayonnant qu'avant.

Königliche Bauleidenschaft in der Ära des Neoklassizismus hat der Stadt den Beinamen *Isar-Athen* eingetragen. Das Wort wird zum Erlebnis in der monumentalen Eingangshalle, auf den Treppen und in den Foyers des *Nationaltheaters*. Die von korinthischen Vorbildern inspirierte Dekoration in Weiß und Gold erreicht ihren Höhepunkt im *Königssaal* — festliche Einstimmung auf das Spiel der Farben und Klänge.

Royal passion for building in the era of neo-classicism brought in for the town the name *Isar-Athen*. This word becomes to an experience in the monumental entrance hall, on the stairs and the foyers of the *National Theatre*. The decoration in white and gold inspired by corinthic models culminates in the *Kings' hall* — splendid chiming in the play of colours and tunes.

Passion royal de construction à l'éra de classicisme a donné à la ville le nom «*Isar-Athen*». Ce nom devient vrai dans le hall monumental d'entrance, sur les escaliers et dans les foyers au *Théâtre National*. Les modèles corinthiens ont inspiré la décoration en blanche et en or qui a son faite dans la *Königssaal* — joignant festivement au jeu des couleurs et des sons.

Während Zuschauerraum und Foyers des *Nationaltheaters* bis ins Detail nach den alten Plänen rekonstruiert wurden, entstand hinter dem 13 Meter hohen Vorhang die modernste Bühnenmaschinerie, mit 2 Beleuchterbrücken und 68 meist hydraulischen Zügen zum Wechsel der Dekorationen. In drei Teilen kann die Spielfläche um 4 Meter erhöht und gesenkt werden. Im Bild: eine neue Inszenierung des „*Parsifal*".

While auditorium and foyers of the *National Theatre* were reconstructed in every detail according to old plans, behind the 13 m high curtain one installed the most modern stage machinery with two lighting bridges and 68 mostly hydraulic hoists for changing the decorations. In three phases it is possible to level or to lower the performance place by 4 meters. Photo: a new production of "*Parsifal*".

Tandis qu'on a reconstruit en detail l'auditorium et les foyers du *Théâtre National* d'après les ancien desseins, derrière le rideau 13 m de haut la machinérie la plus moderne de stage entrait en existence avec deux ponts d'éclairage et 68 préparatifs pour la plupart hydrauliques pour changer les décorations. A trois phases on peut éléver et descendre le stage. Photo: une nouvelle mise en scène de «*Parsifal*».

Schloß Nymphenburg. Es begann 1663 mit dem schlichten Würfel des Mittelbaus und einem kleinen Barockgarten. Kurfürstin Adelheid nannte den Landsitz „borgo del ninfe". Nun schließt sich die Stadt um die Sommerresidenz der bayerischen Kurfürsten und Könige, der eineinhalb Jahrhunderte das heutige Gesicht gaben, mit den weitausladenden Flügelbauten, dem Rondell der Kavaliershäuser, den vier Parkschlößchen, den Auffahrtsalleen und Fontänen. Vorn: die *Christkönig-Kirche.*

Nymphenburg Castle. It began 1663 with the plaine cube of the middle building and a small Barock garden. Kurfürstin Adelheid called this country seat "borgo del ninfe". Today the town surrounds the summer residence of the Bavarian princes and kings, a residence for which $1^1/_2$ centuries were necessary to give it its today's appearance with the generously designed wing buildings, the circle of the cavaliers' houses, the four little park castles, the avenues and fountains. In front: *Christkönig-Church.*

Château Nymphenburg. On commençait 1663 avec le bâtiment central simple et un petit parc baroque. L'Eléctrice Adelheid appelait la maison de campagne «borgo del ninfe». Aujourd'hui la ville se trouve autour de cette villa des électeurs et des rois bavarois, qui a pris $1^1/_2$ siecle d'obtenir cette apparence, avec les ailes de grand style, le circle des maisons de cavaliers, les quatre châteaux de parc, les avenues et les jets d'eau. Avant: *Christkönig-Kirche.*

Zu den schönsten Profanbauten des Rokoko gehört die *Amalienburg* im *Nymphenburger Park*, ein Werk Francois Cuvilliés d. Ä. Kurfürst Karl Albrecht, der spätere Kaiser Karl VII., ließ das Lustschlößchen für seine Gemahlin, Kurfürstin Amalie bauen. Die leidenschaftliche Jägerin pflegte vom Dachbalkon aus Fasanen zu schießen. Im Bild: das Schlafgemach in der silber und blau gehaltenen Zimmerflucht mit dem Bildnis der Hausherrin.

Among the most beautiful profane buildings of the Rokoko there belongs the *"Amalienburg"* in *Nymphenburg Park* a masterpiece of François Cuvilliés the Elder. Kurfürst Karl Albrecht, later Emperor Karl VII. had the little castle built for his wife, Kurfürstin Amalie. The passionate huntress loved to shoot pheasants from her balcony. Photo: the sleeping-room in the silver and blue suite of rooms with the portrait of the lady of the house.

Aux bâtiments les plus beaux de Rokoko appartient aussi l'«*Amalienburg*» dans le *Parc de Nymphenburg*, un œuvre de François Cuvilliés d. Ä. Electeur Karl Albrecht, plus tard Empéreur Karl VII., fît bâtir ce petit château pour son épouse Electrice Amalie. La chasseuse passionnante avait l'habitude de tuer des faisans de son balcon. Photo: la chambre à coucher dans l'enfilade de pièces en argent et en bleu avec le portrait de la maîtresse de maison.

Wie eine grüne Insel im Häusermeer liegt zwischen den Stadtteilen Schwabing und Bogenhausen der *Englische Garten*. Im Luftbild: der *Monopteros*, der *Chinesische Turm* mit den Wirtschaftsgebäuden, der *Kleinhesseloher See* — und dort auch das Kirchlein im ursprünglichen „Dorf" Schwabing. Dahinter verläuft die Hirschau — einst das Jagdgebiet des Münchener Hofes — in die Auwälder der Isar.

Like a green isle amidst the sea of houses between the quarters Schwabing and Bogenhausen there is the *"English Garden"*. Aerial view: the *Monopteros*, the *Chinese Tower* with the restaurant, the *Kleinhesseloher Sea* — and there, too, the little chaple in the former "village" Schwabing. It is joined by the "Hirschau" — in former times the hunting area of Munich's nobels — to the woods of the Isar.

Comme une île verte dans la mer de maisons le «*Parc Anglais*» se trouve entre les quartiers Schwabing et Bogenhausen. Photo aérienne: «*Monopteros*», la «*Tour Chinoise*» avec le restaurant, le *lac Kleinhesseloh* — et là aussi la petite eglise dans l'ancien «village» Schwabing. Derrière la «Hirschau» s'y joint — autrefois le terrain de chasse pour la cour de Munich — menant aux forêts d'Isar.

Der *Englische Garten* zu München war der erste Park in Deutschland, der auf fürstlichem Terrain angelegt, aber der Erholung der Bürgerschaft gewidmet wurde (1789). Er bedeutete die Abkehr von den geometrischen Rabatten-Ornamenten des Barockgartens (Nymphenburg) und ließ die Natur sich frei entfalten. Der *Monopteros* wurde 1830 vom kunstsinnigen König Ludwig I. als Ehrentempel für die fürstlichen Stifter und Förderer errichtet.

The *English Garden* in Munich was the first park in Germany, designed by royal order but finally dedicated to the recreation of the citizens. This garden signified the turning away from geometrical ornaments of the Barock garden (Nymphenburg) and allowed for free development of nature. "*Monopteros*" was built 1830 by the art-loving King Ludwig I. as memorial temple for royal founders and patrons.

Le Parc Anglais à Munich fût le premier parc en Allemagne qui plante au terrain royal mais qui fût destiné pour le repos des bourgois (1789). Il symbolisait l'éloignement des ornaments géometriques de parc baroque (Nymphenburg) et permettait la nature de s'épanouir libéralement. Le *Monopteros* fît construit 1830 par le Roi Ludwig I. qui s'entend aux beaux arts, comme temple commemoratif pour les fondateurs et donateurs royaux.

Blick über den Stadtteil Schwabing und seine Hauptverkehrsader, die *Leopoldstraße*, stadteinwärts. Am oberen Bildrand sieht man — hinter dem Siegestor — die Fortsetzung des markanten Straßenzuges, die Ludwigstraße, bis zur Residenz und zur Feldherrnhalle, und links, am Rande des Englischen Gartens, das Haus der Kunst.

View over the quarter Schwabing and its main highway, the Leopoldstrasse, leading to the centre. On the upper part of the photo you can see — behind the "Siegestor" — the continuation of the remarkable street, the Ludwigstrasse up to the Residence and the "Feldherrnhalle" and on the lefthand side, on the edge of the English Garden, the House of Arts.

Vue sur le quartier *Schwabing* et sa route à grande circulation, la «*Leopoldstrasse*», vers le centre. En haut de la photo on voit — derrière la «Siegestor» — la continuation de cette rue marquante, la «Ludwigstrasse» jusqu'à la Résidence et au «Feldherrnhalle» et à gauche, au bord du Parc Anglais, la maison des arts.

Der Stadtteil *Schwabing* ist nicht zur Gänze Künstlerviertel, Wohnbezirk eines leichtlebigen Musenvölkchens, wenngleich er als solcher eine große *literarische Tradition* hat. Aber die *Leopoldstraße* mit ihren Cafés und Pizza-bäckereien, mit den Trottoirmalern und dem „Kunst"-Angebot entlang der Vorgartenzäune darf zu den *Renommier-Boulevards* der europäischen Touri-stenstädte gezählt werden.

The quarter *Schwabing* is not entirely the quarter of the artists, living quarter of the easy-going people of the Muses, even if it has thus a great *literary tradition*. But *Leopoldstrasse* with its cafés and pizzabakeries, with the sidewalk painters and the "art" offer along the garden fences may belong to the *famous boulevards* of European touristic towns.

Le quartier *Schwabing* n'est pas du tout le quartier artistique, habité par des gens insouciants, même s'il a ainsi *une grande tradition litéraire*. Mais on peut compter la Leopoldstrasse avec leur cafés et leur restaurants de «pizza», avec leur peintres et l'offre «artistique» parmi les grands *boulevards fameux* des villes touristiques en Europe.

82

In der Bildmitte: die *Alte Pinakothek*. Der klassizistische Klenze-Bau ist eines der Münchener Ziele des internationalen Tourismus, denn die Schätze, die er birgt, zählen zu den sieben bedeutendsten Gemäldesammlungen der Welt. Links und unten im Bild: alte und neue Bauten der *Technischen Universität;* rechts: neue Institute der *Ludwig-Maximilian-Universität.*

Centre of the photo: *Alte Pinakothek*. The classic Klenze building is one of Munich's destinations of the international tourism, for the treasures which are there count among the seven most important collections of paintings in the world. Lefthand side and below: old and new buildings of the *Technical University;* righthand side: new instituts of the *Ludwig-Maximilian-University.*

Au centre de la photo: «*Alte Pinakothek*». Le bâtiment classique de Klenze et un des buts à Munich du tourisme international, car les trésors qu'il contient, comptent parmi les sept collections de tableaux les plus importantes dans le monde. A gauche et en bas sur la photo: des bâtiments anciens et nouveaux de *l'Université des techniques;* à droite: des instituts nouveaux de *l'Université Ludwig-Maximilian.*

Mit einem Saal und einigen Kabinetten ist *Peter Paul Rubens* in der *Alten Pinakothek* besonders eindrucksvoll vertreten. Im Bild: „Das apokalyptische Weib", einst im Hochaltar des Doms zu Freising. Der Kopist hat sich die berühmte „Schäferszene" vorgenommen. Oben: die Allegorie „Krieg und Frieden". Im Kabinett nebenan: Rubens' geniale Handskizzen zur „Medici-Folge für das Palais de Luxembourg".

With a hall and some cabinets *Peter Paul Rubens'* presentation in the *Old Pinakothek* is especially impressing. Photo: "Das apokalyptische Weib" formerly in the high altar of the Cathedral in Freising. The imitator has taken the famous "shepherd's scene". Above: the allegory "War and Peace". In the ajoining cabinet: Ruben's genious drawings for the "Medici-scene for the Palais de Luxembourg".

Peter Paul Rubens est représenté dans la «*Alten Pinakothek*» avec une salle et quelques cabinets. Photo: «La femme apocalyptique» autrefois dans le maître-autel à la Cathédrale à Freising. L'imitateur a pris la fameuse «scène de berger». Au-dessus: l'allégorie «Guerre et Paix». Au cabinet à côté: les croquis fameux de Rubens pour la suite de Medici pour le «Palais de Luxembourg».

Auch König Maximilian II. Joseph (1811–1864) bekam in München seine Prachtstraße. Ihren weithin sichtbaren Abschluß bildet das *Maximilianeum*, das Baumeister Bürklein jenseit der Isar auf das hohe Ufer stellte. Ursprünglich sollten dort die begabtesten Landeskinder wohnen und ihren Studien nachgehen. Heute tagt hinter der spätgotisch stilisierten Arkadenfront der *Bayerische Landtag*.

King Maximilian II. Joseph (1811–1864) as well got his boulevard in Munich. Its far visible closing is formed by the *Maximilianeum*, which was placed by the architect Bürklein on the other side of the Isar on the high bank. Originally the most talented children should live there and follow their studies. Today behind the late Gothic arcade-front the *Bavarian Parliament* holds ist meetings.

Roi Maximilian II. Joseph (1811–1864), lui-aussi, a obtenu à Munich son boulevard. Son achèvement bien visible c'est la *Maximilianeum* que l'architecte Bürklein a placé au bord de l'Isar. D'abord les élèves les plus talentés aurait dû y habiter et suivre leurs courses. Aujourd'hui c'est le siège du *Bayerische Landtag*.

1158 ließ Herzog Heinrich der Löwe, die „Kohleninsel" nutzend, eine Brücke über die Isar schlagen und begründete damit die Stadt. Auf dieser Insel steht heute das *Deutsche Museum*, das Lebenswerk des Münchener Ingenieurs *Oskar von Miller*. 1925 wurden die technischen und naturwissenschaftlichen Sammlungen (16 Kilometer Führungslinie!) eröffnet. Im Bild vorn: Bibliotheks- und Kongreßbau. Rechts: *das Deutsche Patentamt*.

1158 Herzog Heinrich the Lion, using the "coal-isle" had built a bridge across the river Isar and in doing so he founded the town. Today on this isle there is the *German Museum*, the life-work of the Munich engineer *Oskar von Miller*. 1925 they opened the technical and scientific collections (guiding distance 16 kilometers!). In front: library and congress building. Righthand side: the *German Patent Office*.

1158 Comte Heinrich le Lion, en utilisant «l'île de charbon», fît batir un pont sur l'Isar et ainsi il a fondé la ville. Aujourd'hui sur cette île se trouve la «*Deutsches Museum*» — l'œuvre de l'ingénieur munichois *Oskar von Miller*. 1925 on a ouvert les collections techniques et des sciences naturelles (16 kilomètres de ligne de guidance!) Avant au photo: le bâtiment de bibliothèque et de congrès. A droite: *le bureau allemand des brevets*.

Von den Besuchern des *Deutschen Museums*, oft 1500 an einem Tag, sind ein Großteil Gäste aus aller Herren Länder. Im Bild: die Halle, die in Originalen und Modellen, vom ersten Gleitflugzeug Otto Lilienthals bis zu modernen Düsenantrieben, die *Entwicklung der Luftfahrt* zeigt. Neueste Exponate: *Raumfahrt* und *Elektronik*.

The greatest part of the visitors of the *German Museum* (often 1.500 on one day come from everywhere in the world. Photo: the hall, which shows in originals and models beginning with the first glider from Otto Lilienthal ending with the modern jet-planes, the *development of aviation*. New expositions: *astronautics* and *electricity*.

Les visiteurs de la «*Deutsches Museum*», souvent 1.500 personnes pendant une journée, viennent pour la plupart de tous les pays du monde. Photo: le hall qui contient en originale et en modèle *le development de l'aviation* du premier planeur d'Otto Lilienthal jusqu'aux jets moderns. Les dernières expositions: *l'astronautique* et *l'électronique*.

Unter Prinzregent Luitpold (1821–1912) wurde die letzte der Münchener Prachtstraßen angelegt. Monumentaler Abschluß dieser *Prinzregentenstraße* ist der *Friedensengel* (1896). Der Magistrat setzte damit 25 segensreichen Friedensjahren nach dem deutsch-französischen Krieg von 1870/71 ein Denkmal. In der Halle die Bildnisse deutscher Kaiser und bayerischer Fürsten, des Reichskanzlers und der Feldherren jener Zeit.

Under prince-regent Luitpold (1821–1912) the last of Munich's boulevards was built. The monumental ending of *Prinzregentenstrasse* is the *Angel of Peace* (1896). Thus the municipal council founded a monument for 25 years of peace after the Franco-German War of 1870/71. In the hall the portraits of German Emperors and Bavarian princes, the Chancellor of the "Reich" and the generals of that time.

Sous le regence de Luitpold (1821–1912) le dernier boulevard de Munich fît construit. L'achèvement monumental de cette *Prinzregentenstrasse* c'est *l'ange de paix* (1896). Ainsi les municipales ont créé un monument pour 25 ans de paix après la guerre franco-allemande de 1870/71. Dans le hall des portraits des empéreurs allemands et des comtes bavarois, du chancelier de la Reich et des généraux de ce temps.

Links: *das Haus der Kunst*. Im Südflügel werden Gemälde und Plastiken der im Krieg vollständig zerstörten *Neuen Pinakothek* gezeigt. Viel Raum wird wechselnden Ausstellungen von internationalem Rang gegeben. Im Hintergrund: das Bayerische Nationalmuseum — Schätze aus der Kultur der bayerischen Stämme und Landschaften.

Lefthand side: *House of Arts*. In the southern wing you can see paintings and plastiques of the *New Pinakothek* which was entirely destructed during the war. A lot of room is given to changing expositions of international reputation. Behind: the Bavarian National Museum — treasures of the culture of Bavarian tribes and regions.

A gauche: *la maison des arts*. Au sud on voit des tableux et des plastiques venant de la «*Neuen Pinakothek*» qui fît destruite totalement pendant la guerre. Il y a beaucoup d'espace pour des expositions changeantes d'une rénommée internationale. Au fond: Musée National bavarois — des trésors des groupes bavarois et des régions bavaroises.

Der Münchener Malerfürst Franz von Lenbach (1836—1904), Porträtist der Großen seiner Zeit, baute sich am Rande des Königsplatzes diese Villa. Hinter der Palladio-Fassade zeigt heute die *Städtische Galerie im Lenbachhaus* Werke des Hausherrn und seiner Zeitgenossen, die Farborgien der Maler um Kandinsky und wechselnde Ausstellungen der Gegenwartskunst.

Munich's prince-artist Franz von Lenbach (1830—1904), portraitist of his famous contemporaries, built for himself near the "Königsplatz" this villa. Today behind the Palladio-front *the town's gallery in Lenbach-house* shows works of the master of the house and his contemporaries the orgies in colour of the artists belonging to the company of Kandinsky and changing expositions of our days' art.

Le Munichois «comte-peintre» Franz von Lenbach (1836—1904), portraitiste des célèbrités de son époque construisait pour lui-même à la Place du Roi cette villa. Dérrière le façade Palladio *la galérie publique dans la maison Lenbach* présente des chefs-d'œuvre du maître et de ses contemporaires, des orgies en couleurs des peintres autour de Kandinsky et des expositions changeantes de l'art actuel.

Brienner Straße und *Karolinenplatz*. Der Obelisk wurde als Ehrenmal für die 30 000 im Rußlandfeldzug Napoleons gefallenen Bayern errichtet. Dahinter: der *Königsplatz*, König Ludwigs I. Huldigung an die klassische Baukunst Griechenlands. Rechts: *Glyptothek*, links: *Antikensammlung*, Mitte: *Propyläen*. Ludwigs I. Sohn Otto wurde auf den griechischen Thron berufen; die Reliefs an den Propyläen zeigen Szenen aus dem Freiheitskampf der Griechen und Ottos Regierungszeit.

Briennerstrasse and *Karolinenplatz*. The Obelisc was built as a monument for the 30,000 Bavarians who were killed during Napoleon's Russia compaign. Behind: *Königsplatz*. King Ludwig's I. homage to the classic architecture of Greece. Righthand side: *Glyptothek*, lefthand side: *collection of antiques*. Centre: *Propyläen*. Otto, son of Ludwig I. was called on the Greek throne, the reliefs on the Propyläen show scenes from the liberation fight of the Greeks and Otto's government time.

Brienner Strasse et *Karolinenplatz*. L'Obelisk a été bâti comme monument commemoratif pour les 30.000 bavarois tués en Russie sous le régime de Napoléon. Derrière: la *Königsplatz*, un hommage de Roi Ludwig I. à l'architecture classique de la Grèce. A droite: *Glyptothek*, à gauche: *la collection antique*, au centre: *Propyläen*. Otto, le fils de Ludwig I. fît roi de la Grèce; les reliefs sur les Propyläen présentent des scènes de la bataille de libération des Grecs et son éra de gouvernement.

Die *Glyptothek*. Leo von Klenze erbaute das „Statuenmuseum" des königlichen Antikensammlers Ludwig I. im jonischen Stil. Kernstück der Sammlung griechischer und römischer Plastik sind die *Ägineten*, die vollständigen Figurengruppen aus den Giebeln des Aphaia-Tempels zu Ägina (um 490 v. Chr.). Erstaunlich im Detail: die realistische Porträtkunst der Römer.

The *Glyptothek*. Leo von Klenze built the "statues' museum" of the royal collector of antiques Ludwig I. in the jonic style. Principal item of the collection of Greek and Roman plastic is the *Äginates*, the complete figure-groups of the gables of the Äphaia-Temple in Ägina (about 490 before Chr.). Astonishing in detail: the realistic portraiting art of the Romans.

La *Glyptothek*. Leo von Klenze a bâti la «Statuenmuseum» du collecteur royal des antiquités Ludwig I. au style jonique. Le centre de la collection de plastiques grecques et romaines ce sont les *Ägineten*, les groupes complets des figures des pignons du temple d'Aphaia à Ägina (490 avant Chr.). Chose surprenante en détail: l'art de portrait réalistique des Romains.

102

Dieses Haus ist in aller Welt der Inbegriff der vielgerühmten *Münchner Gemütlichkeit*. Sein Ursprung als Brauhaus liegt im Dunkel des 13. Jahrhunderts. Seine heutige Gestalt erhielt es 1897 mit der Auflage, „dem Bau nach außen und innen das der Geschichte des *Hofbräuhauses* entsprechende Gepräge des Alten zu geben". Seitdem ist in der „*Schwemme*" manche Freundschaft geschlossen und in den anheimelnden Räumen manch feuchtfröhliches Fest gefeiert worden.

This house is all over the world the incarnation of *Munich's "Gemuetlichkeit"*. Its origin as brewing house is supposed in the 13th century. 1897 it received its today's appearance with the order "to give the building outside and inside the imprint of tradition according to the history of the *"Hofbräuhaus"*. Since then a lot of hilarious festivities have been held in its cosy rooms and a lot of people have made friends in the *"Schwemme"*.

Cette maison est dans le monde entier la quintessence de la fameuse «*Gemuetlichkeit*» de Munich. Son origine comme brasserie est peut-être dans le 13ième siècle. Son apparence actuelle elle a reçu 1897 avec l'ordre «de donner à ce bâtiment à l'extérieur et à l'intérieur l'empreinte de l'ancien conforme à l'histoire de la «*Hofbräuhaus*». De ce jour là dans la «*Schwemme*» on s'est lié d'amitié et dans les chambres confortables on a eu beaucoup de fêtes.

Der *Hauptbahnhof* mit den Flügelbahnhöfen *Starnberger* und *Holzkirchner Bahnhof;* unterirdisch passieren ihn alle Linien der S-Bahn für den Nahverkehr. Binnen 24 Stunden fahren hier mehr als 700 Züge ein oder aus. Im Hintergrund: die *Theresienwiese* in Erwartung ihrer feuchtfröhlichen Bestimmung. Am Bavaria-Ring: die *St. Pauls-Kirche.* Auf der Theresienhöhe: *die Bavaria.*

The *main station* with its wing stations *Starnberger* and *Holzkirchnerbahnhof;* for the local traffic it is frequented by all trains of the subway. Within 24 hours more than 700 trains arrive or leave here. Behind: *Theresienwiese* avaiting its hilarious determination. On Bavaria-Ring: *St. Paul's Church.* On Theresienwiese: the *Bavaria.*

La gare centrale avec ses gares d'aile: *Starnberger* et *Holzkirchnerbahnhof;* tous les trains du métro le fréquentent pour le trafic à courte distance. Pendant 24 heures plus de 700 trains arrivent ou s'égarent. Au fond: la Theresienwiese attendant sa détermination joyeuse. Au Bavaria-Ring: *l'Eglise St. Paul.* Sur la «Theresienhöhe»: la *Bavaria.*

Nach einer Idee König Ludwigs I. entstand 1844—1850 die *Bavaria*, eine Allegorie des Bayernlandes. Ludwig von Schwanthaler hat sie entworfen, Ferdinand von Miller (der Vater des Gründers des Deutschen Museums), in Erz gegossen. 120 Stufen führen in den Kopf der Statue, in dem fünf Personen Platz haben. Leo von Klenze erbaute die *Ruhmeshalle* im dorischen Stil, in der die Büsten verdienter Männer aufgestellt wurden.

According to an idea of King Ludwig I. the *"Bavaria"* came into being 1844—1850, an allegory of the Bavarian country. Ludwig von Schwanthaler designed her, Ferdinand von Miller (father of the founder of the German Museum) founded her in brass. 120 steps lead to the head of the statue where there is place for five persons. Leo von Klenze built the *"Ruhmeshalle"* in the dorian style where busts of deserving people found their place.

D'après une idée du Roi Ludwig I. on a créé 1844—1850 la *Bavaria*, une allégorie du pays bavarois. Ludwig von Schwanthaler l'a designée, Ferdinand von Miller (le père du créateur du «Deutsches Museum») l'a jetée en moule de bronze. 120 marches mènent à la tête de la statue où il y a place pour cinq personnes. Leo von Klenze a construit la «*Ruhmeshalle*» au style dorian où l'on trouve les bustes des hommes de mèrite.

Die *Theresienhöhe*. Der Hochhauskomplex am Rande der Festwiese entwuchs auf dem Areal der historischen Biergärten; die Großgaststätten *Pschorrkeller* und *Hackerkeller* (Bildmitte) erinnern noch daran. Auf dem Parkplatz davor ist nun ein großes Freizeitzentrum im Entstehen. Oben links: das *Ausstellungsgelände* und *Tagungszentrum*. Hier findet u. a. die jährliche *Handwerksmesse* statt.

Theresienhöhe. The block of skyscrapers near the "Festwiese" stands on the area of historical beer gardens; the big restaurants *Pschorrkeller* and *Hackerkeller* (centre) still remind them. On the parking in front there a great centre for leisure time comes into being. Lefthand side above: the *exposition area* and *congress centre*. Here among others every year the "*Handwerksmesse*" takes place.

La *Theresienhöhe*. Le pâté des gratte-ciel au bord de la Festwiese est entré en existence sur le terrain des «Biergärten» historiques; les grands restaurants *Pschorrkeller* et *Hackerkeller* (au centre) y rappellent encore. Devant sur le parking on est en train de créer un grand centre des loisirs. A gauche: le *terrain des expositions* et le *centre de congrès*. Ici chaque année la «*Handwerksmesse*» a lieu.

Die *Theresienwiese*, Schauplatz des *Münchner Oktoberfestes* und der damit verbundenen *Landwirtschaftsausstellung* (vorn im Bild). Das Fest geht auf ein historisches Pferderennen zurück, das Anno 1810 aus Anlaß der Hochzeit des Kronprinzen Ludwig mit der Prinzessin Theresia von Sachsen veranstaltet wurde. Daraus entwickelte sich das *größte Volksfest Europas*, das vom traditionellen Einzug der Bräuwirte, Trachtenkapellen und Schützen eingeleitet wird.

The *Theresienwiese*, scene of *Munich's Oktoberfest* and the *agricultural exposition* joined with it (in front of the photo). The festival takes its origin from a historical horse race which took place 1810 on the occasion of the wedding of crown-prince Ludwig and princess Theresia of Saxony. Out of this there developed the *greatest popular festival of Europe* which is opened by the traditional entry of the brewers, popular bands and huntsmen.

La «*Theresienwiese*» la scène de «*Münchner Oktoberfest*» et *l'exposition de l'agriculture* (photo). La fête prend son origine à une course de cheval historique qui a eu lieu 1810 à l'occasion du mariage de Prince Ludwig et Princess Theresia de Saxe. Aujourd'hui c'est *la plus grand fête populaire en Europe* qui est ouverte par l'entrance des brasseurs et des orchestres costumés et des chasseurs.

Das ist für viele Münchner das Paradies und manchem Gast eine Reise um den halben Globus wert: das *Münchener Oktoberfest*, „d'Wies'n", Bierzelte, Blasmusik, und das farbenprächtige Bild der Bierfuhrwerke mit den festlich aufgezäumten, stämmigen Bräurössern — ein Anachronismus, den sich die Großbrauereien etwas kosten lassen.

That's for many Munich people the paradise and for many a guest worth, while a journey round half of the world: *Munich's Oktoberfest*, "d' Wies'n", beer tents, "Blasmusik", and the multi-coloured sight of the beer carts with the splendidly bridled strong horses — an anacronism which is not too expensive for the big breweries.

Pour beaucoup de Munichois c'est le paradis et pour beaucoup de visiteurs cela vaut bien un voyage très long: la «*Münchner Oktoberfest*», «d' Wies'n», tents de bière, «Blasmusik» et la vue de tous couleurs des chariots avec les chevaux décorés — un anachronisme qui vaut bien l'argent pour les grandes brasseries.

Das moderne München präsentiert sich im Umkreis des *Rosenkavalierplatzes* mit einer imposanten Baugruppe. Links: das *Bayerische Staatsministerium für Landesentwicklung und Umweltfragen* mit dem Landesamt für Umweltschutz. Vorn: das *Bürogebäude „Sternhaus"* (die ersten Münchener Sternhäuser in der Obersendlinger Siemenssiedlung waren seinerzeit richtungweisende Architektur). Rechts: *Sheraton-Hotel*, hinten: *Arabellahaus*.

The modern Munich presents itself around the *Rosenkavalier-Place* with an imposing building group. Lefthand side: the *Bavarian Ministry for the Environmental Protection*. In front: the *office building "starhouse"* (the first starhouses in Munich in the Siemens quarter in Obersendling were the leading architecture). Righthand side: *Sheraton-hotel*, behind: *Arabella-House*.

La Munich moderne se présente autour de la *Place de Rosenkavalier* avec un groupe de bâtiments imposant. A gauche: *la ministère de la protection d'entourage*. Devant: le *bâtiment de bureaux «Sternhaus»* (les premières maisons d'étoile à Munich dans le quartier Obersendling ont été une architecture directrice). A droite: *Sheraton-Hotel*, derrière: *la maison Arabella*.

Eine Besonderheit der Münchener Stadtlandschaft sind ihre zahlreichen Brunnen. Dieser beim „*Sternhaus*" ist eines von über 550 großen und kleinen Wasserspielen im Stadtgebiet. Im Blick über den *Rosenkavalierplatz*: das *Arabellahaus*. Arabellapark, Daphne-, Elektra-, Ariadnestraße deuten in der Nachbarschaft des Richard-Wagner-Viertels nun ein Richard-Strauss-Viertel an.

The innumerable fountains are a speciality of Munich's town scape. This one near the *"star-house"* is one of more than 550 big and small waterplays within the city. In view over the *Rosenkavalierplatz*: *Arabella House*. Arabellapark, Daphne-, Elektra-, Ariadnestrasse mark in the neighbourhood of the Richard-Wagner-quarter now a Richard-Strauss-quarter.

Une spécialité de la ville de Munich ce sont les nombreux jets d'eau. Ce lui-ci à côté de «*Sternhaus*» est un de plus de 550 grands et petits jets d'eau dans la ville. Vue sur la *Place de Rosenkavalier: la maison Arabella*. Arabellapark, Daphne-, Elektra- et Ariadnestrasse indiquent alors à côté de quartier Richard-Wagner un quartier Richard Strauss.

118

Das *Flughafengelände München-Riem*. Am Rande des internationalen Luft-verkehrs starten hier Kleinflugzeuge für Rundflüge über die Umgebung der Stadt und das Seengebiet der Voralpenlandschaft. Im Umkreis der Ortschaft Riem: eine Galopprennbahn und die Trabrennbahn Daglfing.

Airport Munich-Riem. Apart from the international air-traffic here small planes take off for round flights over the surroundings of the town and the lake district of the Lower Alps. Around the small town of Riem: a galopp race-course and the trotting race-course Daglfing.

L'aéroport Munich-Riem. A côté de l'aviation internationale de petits avions décollent pour des circuits sur l'entourage de la ville et les lacs des Préalpes. Autour du village de Riem: un champ de course de galop et le champ de course de trot Dagfing.

Zu beiden Seiten des *Petuel-* und *Georg-Brauchle-Rings:* Schulbeispiele modernen Bauens. Rechts: das an einem zentralen Baukern aufgezogene *BMW-Hochhaus* mit der schüsselförmigen *Ausstellungshalle.* Links das *Olympiagelände,* die Sportstätten unter dem *75 000 Quadratmeter-Zeltdach* und der 290 Meter hohe *Olympiaturm* mit Blitzlift zum *drehbaren Aussichts-Restaurant.*

On both sides of the *Petuel-* and *Georg-Brauchle-Ring:* examples of modern architecture. Righthand side: the BMW-skyscraper built on a central point with the plate-like exposition hall. Lefthand side: the *Olympic area,* the sport places below *75,000 qm tent-roof* and 290 meters high *Olympic Tower* with quick lift to the revolving *look-out restaurant.*

A tous les côtés de *Petuel-* et de *Georg-Brauchle-Ring:* exemples de l'architecture moderne. A droite: le gratte-ciel de BMW bâti autour d'un noyau central avec le hall d'exposition d'apparence d'un plat. A gauche: le *terrain olympique,* les stades sous *le toit de tent de 75.000 qm* et la *tour olympique* 290 m de haut avec l'ascenseur menant au *restaurant tournant.*

Das *teuerste Dach der Welt* ist über die Westtribüne des Hauptstadions, die große Sporthalle, die Schwimmhalle und einige Verbindungswege gespannt. Seilzüge über 50 bis 80 Meter hohe Pylonen tragen und formen das riesige Stahlseilnetz, das mit Acrylglas eingedeckt ist. Mit dem Olympia-Dach zählt zu den meistbesuchten Sehenswürdigkeiten der Kunst-Stadt München nun auch ein Stück moderner Technik.

The *most expensive roof of the world* is spanned from the west stand of the main stadium, the big sport hall, the big swimming hall and some connection ways. Cables above 50 and 80 m high pylons support and form the mighty steel cable work which is filled in with acryl-glass. With the Olympic roof among the most frequented sightseeings in the arts'-town Munich now counts as well a product of modern technique.

Le toit le plus cher du monde c'est sur la tribune de l'est du stade central, le grand hall de sports, le stade nautique et quelques chemins de connections. Des cordages au-dessus des pylons de 50 a 80 m de haut portent et forment le filet des cables. Avec le toit olympique la ville des arts possède alors aussi un produit de la technique moderne comme curiosité.

Geselliges Leben in München — eine bunte Palette herzhaften Frohsinns: Beim *Trachtenzug* darf das *Münchner Kindl* nicht fehlen, die weibliche Variante des strengen Wappenmönchs. Zum Münchener *Fasching* gehören „*die damischen Ritter*" ebenso wie die „*Vorstadthochzeit*" im *Hofbräuhaus* und die Künstlerfest-Atmosphäre im *Deutschen Theater*.

High life in Munich — a variety of hearty cheerfulness: the show of national costumes is unimaginable without the "*Münchner Kindl*" the feminin version of the austere monk. To the Munich *carneval* there belong "*the crazy knights*" as well as the "*suburban wedding*" in the "Hofbräuhaus" and the artist atmosphere in the "*Deutschen Theater*".

La vie mondaine à Munich — une palette variée de gaieté: la «*Münchner Kindl*» doit être présente à la «*Trachtenzug*», la version feminine du moine sévère. Au *carnéval* de Munich les «*chevaliers foux*» appartiennent de même que le «*mariage faubourien*» au «*Hofbräuhaus*» et l'atmosphère artistique au «*Deutsches Theater*».

126

Mit dem Voralpenland hat München ein Ausflugsgebiet von ungewöhnlicher Schönheit und Vielfalt. Ein Vergnügen ganz spezieller Art ist der traditionelle Sommerspaß im Münchener Vereinsleben, die *Floßfahrt auf der Isar*, natürlich nach dem Brauch mit „Musi" und „Faßl" an Bord — aber zur Not kann auch noch für eine Brotzeit beim Brückenwirt angelegt werden.

Grace to the Lower Alps Munich has a region for excursions of extraordinary beauty and variety. An amusement of special kind is the traditional summer enjoyment of Munich's clubs, the *rafting on the Isar*, of course according to the habit with "Musi" and "Fassl" aboard — but you can still stop for lunch at the "Brückenwirt".

Grace aux Préalpes Munich a une region d'excursions d'une beauté extraordinaire et d'une multiplicité. Un plaisir d'une manière très spéciale c'est l'amusement traditionel de l'été des clubs de Munich: *le flottage sur la rivière d'Isar*, naturellement d'après l'habitude avec «Musi» et «Fassl an Bord» — mais on peut aussi s'arrêter pour un cassecroûte.

Im gleichen Verlag sind folgende BILDBÄNDE erschienen:

Band I (Südbayern)
Bayern II (Nordbayern)
Bunte Welt der Berge
Weiße Welt der Berge
Waldgebirge im bayerischen Osten
Bayerische Alpen und Kleines Walsertal
Schwabenland zwischen Allgäu und Ries
Bayern in Bildern

Bildbandreihe
KUNSTWERKE DER WELT
aus dem öffentlichen bayerischen Kunstbesitz
Herrliche Reproduktionen von Gemälden, Graphiken, Plastiken und
Kunsthandwerk, interpretiert von namhaften Experten — Museums-
direktoren, Historikern, Kunstkritikern, Schriftstellern . . .

Sonderband
ALTE PINAKOTHEK MÜNCHEN
Für Liebhaber der Alten Malerei und für die Freunde dieser
ehrwürdigen Münchner Galerie, eine der sieben berühmtesten der Welt.
66 Meisterwerke mit Interpretationen.

Sonderband
NEUE PINAKOTHEK UND NEUE STAATSGALERIE MÜNCHEN
Für Kunstfreunde, die den Aufbruch der Malerei in die Moderne nacherleben
wollen.
Die Ausdrucksformen des 19. und 20. Jahrhunderts.
73 Meisterwerke mit Interpretationen.